D0833844

Koen en Lot

Feest in groep 3

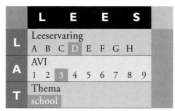

| | L | E | E | S |
|---|---|---|---|---|
| **L** | Leeservaring<br>A B C **D** E F G H | | | |
| **A** | AVI<br>1 2 **3** 4 5 6 7 8 9 | | | |
| **T** | Thema<br>school | | | |

Toegekend door KPC Groep te 's-Hertogenbosch.

Vierde druk 2007

ISBN  978 90 269 9603 0

NUR 287

© 2002 Uitgeverij Van Holkema & Warendorf,
Unieboek BV, Postbus 97, 3990 DB Houten
www.unieboek.nl
www.mariannebusser-ronschroder.info
Tekst: Marianne Busser en Ron Schröder
Tekeningen: Dagmar Stam
Vormgeving: Petra Gerritsen/Bertil Merkus

Marianne Busser en
Ron Schröder

# Koen en Lot
# Feest in
# groep 3

*Met illustraties van*
*Dagmar Stam*

Van Holkema & Warendorf

Groep drie is aan het werk.
Maar Lot kijkt uit het raam.
Ze denkt aan juf Roos.
Juf Roos is ziek.
Ze ligt al een maand in bed.
Het is heel naar.
Lot mist juf Roos.

Want juf Roos is heel lief.
En juf Riek niet.

Juf Riek loopt door de klas.
Dan ziet ze Lot.
'Let op, jij!' roept ze.
Ze geeft Lot een tik op haar arm.
'Aan het werk.
En snel ook!'

Lot buigt haar hoofd en werkt door.
Rotjuf, denkt Lot boos.

Els wipt met haar stoel.

En nog eens, en nog eens.

En dan valt Els met stoel en al om.

Haar hoofd raakt de grond.

Het doet pijn.

Els huilt.


'Doe dan ook niet zo stom,'

gilt juf Riek.

'Ga maar naar de gang.'

Dan wordt Koen kwaad.

Hij staat op.

'Dat doet pijn, hoor!' roept hij.

'Hou je mond,' zegt juf Riek.

'Jij ook naar de gang.'

Koen loopt eerst naar Els.

Hij geeft haar een hand.

'Kom maar, Els.'

Koen en Els gaan de klas uit.
Het is nu druk op de gang.
Joep en Bart en Fien zijn
er ook.
En Daan zit op de grond.
Al heel lang.

Els huilt nog steeds.
'Wat is er?' vraagt Joep.
'Els viel van haar stoel,'
zegt Koen.
'Toen werd juf kwaad.
En ik ook.
En nu zijn we dus hier.'

'Stom mens,' zegt Daan.
Hij steekt zijn tong uit.
'Was juf Roos er maar weer.'

8

Els knikt.
'Ja,' zegt ze zacht.
'Dat zou fijn zijn.'

Dan komt meester Jan er aan.
'Wat is hier aan de hand?' vraagt hij.
'We staan op de gang,' zegt Koen.
Meester Jan lacht.
'Dat zie ik,' zegt hij.
'Maar waaróm?'
'Voor straf,' zegt Els.
'Ik viel van mijn stoel.'

'Zes voor straf op de gang?' roept meester Jan.
'Ja,' zegt Daan.
'Maar dat is nog niet eens véél.
Soms staan er hier wel acht.

10

Juf Riek vindt ons een rotklas.
Dat zegt ze wel tien keer per dag.
Ik zit hier al twee uur.'

Meester Jan denkt na.
'Juist,' zegt hij.
'Ik zal eens met juf Riek praten.'
En dan loopt hij weg.

Koen en Lot gaan naar huis.
'Het is niet leuk,' zegt Lot boos.
'Ik wil niet meer naar school.'
'Ik ook niet,' zegt Koen.
'Juf Riek is stom.
Wat een raar mens.
Was juf Roos er maar weer.'

Dan zijn ze bij het huis van Lot.
'Ga met me mee,' zegt Lot.
'Dan maken we een kaart voor juf
Roos.'
'Ja,' zegt Koen.
'Dat is leuk.'

De moeder van Lot
doet open.
'Dag Koen, dag Lot,' zegt ze.
Lot geeft mam een kus.
'Kan Koen bij me spelen?' vraagt
ze.
Mam lacht.
'Ja hoor,' zegt ze.
'Bel maar snel naar huis, Koen.
Vraag maar of het mag.'

Koen en Lot zijn druk aan
het werk.

De kaart voor juf wordt heel mooi.
**Dag lieve juf Roos** zet Lot op de kaart.
**Groeten van Lot en Koen.**


'Gaat het goed?' vraagt mam.
'Ja,' zegt Lot. 'Hij is af.'
Mam kijkt naar de kaart.
'Wat leuk,' zegt ze.
'Daar zal juf Roos blij mee zijn.
Geef hem maar aan mij.
Dan doe ik hem wel op de bus.'

14

Het is nacht.
Lot ligt in haar bed.
Ze droomt van juf Riek.
Juf Riek geeft haar een schop.
'Stom kind,' roept ze.
'Wat ben jij een stom kind.'

15

Groep drie zit in de klas.
Maar er is geen juf.
'Wat gek,' zegt Bart.
'Zou juf Riek ook ziek zijn?'
Daan lacht.
'Ik hoop het,' zegt hij.
'Dát zou fijn zijn.'

Dan komt meester Jan binnen.
De klas is meteen stil.
Wat zou er aan de hand zijn?
'Juf Riek is weg,' zegt meester Jan.
'Fijn!' roept de klas.
'Hou op,' roept meester Jan. 'Stil.'
'Poep aan je bil,' zegt Els blij.
'Jij ook stil, Els.'

Meester Jan denkt na.
'Het ging niet goed met juf Riek.
Ze kon het niet aan.
Straks komt juf Aaf hier in de klas.'
'Is juf Aaf leuk?' vraagt Bart.
Meester Jan zucht.
'Ik hoop het,' zegt hij.
'Ik ken haar nog niet zo goed.'

Juf Aaf staat voor de klas.

'Dus dit is groep drie,' zegt ze streng.

'En ik ben juf Aaf.

We gaan sommen maken.

Pak je boek.'

'Gaan we niet in de kring?' vraagt Lot.

'Nee,' zegt juf Aaf. 'Daar doe ik niet aan.'

Ze doet een som voor op het bord.

'En nu aan het werk,' zegt ze.

Fien kijkt in haar boek.

Ze snapt er niets van.

Hoe moet dat nou?

Fien kijkt naar juf Aaf.

Maar ze durft niets te vragen.

'Wat is dat?' zegt juf Aaf.

'Waarom werk jij niet?'

'Ik snap het niet,' zegt Fien zacht.

Juf Aaf gaat naar het bord.

'Dan doe ik het nog een keer voor.'

Fien kijkt naar de som op het bord.

'Hup,' zegt juf Aaf. 'Aan de slag.'

Fien kijkt weer in haar boek.
Ze snapt de som nog steeds niet.
Fien huilt.
En ze doet net of ze schrijft.

Maar dan komt juf Aaf.
'Snap je het nou nóg niet?' roept ze
kwaad.

'Wat ben jij dom, zeg.
Let dan ook op.'

En nu is juf Aaf er al een week.
Ze is heel vaak kwaad.
Ze lacht nooit.
Ze leest nooit voor.
En de klas mag nooit in de kring.
Groep drie is bang voor juf Aaf.

Het is vrijdag.
Groep drie gaat de klas in.
Maar juf Aaf is er niet.
Meester Jan zit op de stoel
van juf Aaf.

'Wat doet u hier?' vraagt Els.
'Ik zit,' zegt meester Jan.
'Vandaag ben ik in de klas.
Ga maar snel in de kring zitten.'
'Hoera!' roept de klas.
'We gaan weer
in de
kring.'

Meester Jan kijkt blij.
'Juf Aaf is weg,' zegt hij.
'Ze werkt nu op een school
in de stad.
En ik heb leuk nieuws.
Het gaat goed met juf Roos.
Maandag komt ze weer op school.'
'Hoera!' roept de klas weer.
'Juf Roos komt weer bij ons!'

Groep drie heeft het druk.

De klas is versierd met slingers.

En Pim en Joep maken een vlag op
het bord.

'Welkom juf Roos,' staat er bij.

Elk kind schrijft een brief aan juf.

Meester Jan plakt die in een boek.

Een boek voor juf Roos.

'Ik weet wat,' roept Fien.

'Ik weet een lied voor juf Roos.'

Fien zingt het lied voor.

*We zijn blij*
*We zijn blij*
*Want juf Roos is er weer bij*

De klas zingt het lied keihard mee.
'Wat leuk,' zegt meester Jan.
'Kom maandag maar vroeg op
school.
Ga dan bij het hek staan.
En als juf Roos er aan komt,
doen we het lied.'
'Ja,' roept de klas. 'Dat is leuk.'

Groep drie staat op het plein.
'Wat fijn,' zegt Fien.
'Juf Roos komt weer bij ons.'

Lot denkt na.
'Bij ons in de schuur staat een
boog.
Daar kan juf door heen lopen.
Dan is het echt feest.'
'Ja!' roept Koen.
'Wat een goed plan.'

Na school is Koen bij Lot.
De boog wordt heel mooi.
'Dat zal juf Roos leuk vinden,' zegt
Lot.
Koen lacht.
'Dat denk ik ook.'

Het is maandag, acht uur.
Groep drie staat bij het hek.
'Juf Roos is er nog niet,' zegt Els.
Meester Jan lacht.
'Ze komt echt wel.
Maak maar vast een poort.
Aan elke kant een rij.
En Koen en Lot vooraan met
de boog.'

En ja, daar komt juf Roos aan.
Bij het hek stapt ze van haar fiets.
Dan ziet ze groep drie.
De klas zingt heel hard:

**We zijn blij**
**We zijn blij**
**Want juf Roos is er weer bij**

Juf Roos lacht.
En dan loopt ze onder de
boog door.
Door de poort heen naar de klas.

Groep drie zit in de kring.
Juf Roos kijkt de klas rond.
Ze heeft het boek in haar hand.

'Wat is het hier
mooi,' zegt ze.
'Ik ben toch zo blij.'
'Ik ook,' roept Daan.
'Het was niet leuk
zonder jou.'

Dan brengt meester Jan een taart.
Op de taart staat: **Feest in groep 3**
Juf Roos veegt een traan weg.
Fien geeft juf snel een kus.

Dan schrijft juf op het bord:
*Groep 3 is lief*
*Heel lief*
*Dank je wel*
**Kus van juf Roos**

# Over Koen en Lot zijn verschenen:

AVI 2

Ik ben op jou!

AVI 2

Een schat in het park

AVI 2

Voor gevorderde lezers:

Een nieuwe club en een groot geheim

Een spook in de klas

AVI 3

Feest in groep drie

AVI 3

Een klap voor je kop

AVI 3

Spetterende acties en een gillende sirene

De hut van groep vier

AVI 4

Een konijn voor Lot

AVI 4

Koen wint een prijs

AVI 4